携手推进新时代
中阿战略伙伴关系

——在中阿合作论坛第八届部长级会议开幕式上的讲话

（2018年7月10日）

习　近　平

人　民　出　版　社

携手推进新时代中阿战略伙伴关系

——在中阿合作论坛第八届部长级会议开幕式上的讲话

（2018 年 7 月 10 日，北京）

中华人民共和国主席　习近平

尊敬的萨巴赫埃米尔殿下，

尊敬的阿方主席、沙特外交大臣朱拜尔先生，

尊敬的阿拉伯国家联盟秘书长盖特先生，

各位代表团团长，

女士们，先生们，朋友们：

大家上午好！

4 年前，我在这里向阿拉伯世界发出共建“一带一路”的邀请。今天,我们怀着对中阿合作美好未来的憧憬再度相聚于此。我谨代表中国政府和中国人民,并以我个人的名义,对各位嘉宾的到来表示诚挚的欢迎!对中阿合作论坛第八届部长级会议的召开表示热烈的祝贺!

中阿友谊源远流长,历久弥新。中阿两大民族虽相隔遥远,却亲如一家。我们在古丝绸之路上“舟舶继路、商使交属”,在争取民族独立和人民解放的斗争中并肩奋斗、患难与共,在各自国家建设事业中相互支持、互利合作,谱写了合作共赢的灿烂篇章。历史和实践证明,无论国际风云如何变幻,无论面临怎样的艰难险阻,中阿始终是互惠互利的好伙伴、同甘共苦的好兄弟。

为促进各国共同繁荣进步,中方倡议共建“一带一路”,秉持共商共建共享原则,推动政策沟通、设施联通、贸易畅通、资金融通、民心相通,得到包括阿拉伯世界在内的国际社会广泛支持和积极参与。作为历史上丝路文明的重要参与者和缔造者之一,阿拉伯国家身处“一带一路”交汇地带，是共建“一带一路”的天然合作伙伴。

中国发表了对阿拉伯国家政策白皮书，“一带一路”成为中阿关系重要内容。阿拉伯国家联盟外长理事会通过决议，表达阿拉伯国家集体参与“一带一路”建设政治意愿。本届部长级会议上，中阿双方还将签署《中阿合作共建“一带一路”行动宣言》。

4年来，我们携手同行，把“一带一路”同地区实际结合起来，把集体行动同双边合作结合起来，把促进发展同维护和平结合起来，优势互补，合作共赢，造福地区人民和世界人民。“一带一路”建设落地之处呈现出多姿多彩、生机勃勃的面貌，结出累累硕果。

4年来，“一带一路”建设全面带动中阿关系发展，中阿全方位合作进入新阶段。在此，我宣布，经过中阿双方友好协商，我们一致同意建立全面合作、共同发展、面向未来的中阿战略伙伴关系。这是中阿友好合作新的历史起点。

中方愿同阿方加强战略和行动对接，携手推

进“一带一路”建设，共同做中东和平稳定的维护者、公平正义的捍卫者、共同发展的推动者、互学互鉴的好朋友，努力打造中阿命运共同体，为推动构建人类命运共同体作出贡献。

第一，增进战略互信。“大道之行，天下为公。”当前，中东面临消除和平之殇、破解发展之困的紧迫任务，中国的中东政策顺应中东人民追求和平、期盼发展的强烈愿望，在国际上为阿拉伯国家合理诉求代言，愿为促进地区和平稳定发挥更大作用。

我们要坚持对话协商。中东很多事情盘根错节，大家要商量着办，不能一家说了算，一家说了也不可能算。我们要坚守主权原则，反对搞分裂割据。我们要倡导包容性和解，反对搞压制性妥协。我们要反对恐怖主义，加强综合施策，抓好民生建设。

中方愿围绕发展促和平、集体安全、人道主义救援、海上通道航行、无核武器区等广泛议题，同阿方开展更多对话协商。在此，我宣布，中方设立

“以产业振兴带动经济重建专项计划”,提供200亿美元贷款额度,同有重建需求的国家加强合作,按照商业化原则推进就业面广、促稳效益好的项目。中国将再向叙利亚、也门、约旦、黎巴嫩人民提供6亿元人民币援助,用于当地人道主义和重建事业。中国还将同地区国家探讨实施总额为10亿元人民币的项目,支持有关国家维稳能力建设。

第二,实现复兴梦想。阿拉伯世界区位条件优越、能源禀赋突出。中阿双方优势互补、利益交汇,我们要把彼此发展战略对接起来,让两大民族复兴之梦紧密相连。

要牢牢抓住互联互通这个“龙头”。中方愿参与阿拉伯国家有关港口和未来阿拉伯铁路网建设,支持阿方构建连接中亚和东非、沟通印度洋和地中海的黄金枢纽物流网。我们要携手打造蓝色经济通道,共建海洋合作中心,促进海洋产业发展,提升海洋公共服务能力。要共建“一带一路”空间信息走廊,发展航天合作,推动中国北斗导航系统和气象遥感卫星技术服务阿拉伯国家建设。

要积极推动油气合作、低碳能源合作“双轮”转动。我们要继续推进“油气+”合作模式，深化石油、天然气勘探、开采、炼化、储运等全产业链合作，要顺应全球能源革命、绿色低碳产业蓬勃发展，加强和平利用核能、太阳能、风能、水电等领域合作，共同构建油气牵引、核能跟进、清洁能源提速的中阿能源合作格局，打造互惠互利、长期友好的中阿能源战略合作关系。

要努力实现金融合作、高新技术合作“两翼”齐飞。我们要研究如何发挥好高新技术的驱动作用和金融合作的服务支撑作用，为共建“一带一路”做好短期配合和长期配套，探索适合中东需求、体现中东特色的金融、科技合作模式。

中方支持建立产能合作金融平台，围绕工业园建设拓展多元化投融资渠道，推进园区服务、企业成长、金融支持三位一体发展。中方支持中国有关金融证券机构同阿拉伯国家主权财富基金和管理机构合作，建立立足海湾、辐射中东北非、吸收全球投资者的国际交易平台，争取实现要素自由流动、资源高效配置、市场深度融合，服务“一带一路”建设。为推动金融同业交流合作，中方将成立“中国—阿拉伯国家银行联合体”，配备30亿美元金融合作专项贷款。

中方愿结合阿拉伯国家中长期发展战略规划，加强双方数字经济、人工智能、新材料、生物制药、智慧城市等领域合作。我们要落实好中阿科技伙伴计划，在双方感兴趣的重点领域共建联合实验室。要加快网上丝绸之路建设，争取在网络基础设施、大数据、云计算、电子商务等领域达成更多合作共识和成果。

第三，实现互利共赢。中国将坚持全面深化改革，坚持对外开放基本国策，坚持打开国门搞建设。未来5年，中国将进口超过8万亿美元商品，对外投资总额将超过7500亿美元，这将给阿拉伯国家带来更多合作机会和实实在在的利好。我们要继续用好支持中东工业化的专项贷款和优惠性质贷款，推动中国企业参与园区开发建设、招商运营，促进产业聚集。中国欢迎阿拉伯国家参加今年 11 月在上海举办的首届中国国际进口博览会，将在今后 5 年实现阿拉伯国家参加博览会及贸易和投资综合展全覆盖。中国愿务实推进同海湾阿拉伯国家合作委员会、巴勒斯坦自由贸易区谈判，也愿同更多阿拉伯国家探索商签全面自由贸易协定的可能性。

第四，促进包容互鉴。文明的活力在于交往交流交融。历史上，中华文明和阿拉伯文明交相辉映。今天，我们要更多向对方汲取智慧和营养。我倡议成立的中阿改革发展研究中心运作良好，已成为双方交流改革开放、治国理政经验的思想平台。今后，中心要做大做强，为双方提供更多智力支持。

我们要传播重和平、尚和谐、求真知的理念，办好中阿文明对话暨去极端化圆桌会议。我们要以对话消除误解，以包容化解分歧，营造正信正行的良好氛围。我们要深入挖掘不同宗教中增进和谐、健康向上的内容，结合时代进步要求做好教义阐释。我们要合作建设网络文明，共同反对网络上宣扬极端、散布仇恨的言论。

为推动中阿人民情感交流、心灵沟通，未来3年，中国将再从阿拉伯国家邀请100名青年创新领袖、200名青年科学家、300名科技人员来华研讨，再邀请100名宗教人士、600名政党领导人访华，再为阿拉伯国家提供1万个各类培训名额，再向阿拉伯国家派遣500名医疗队员。

我在此宣布，中阿新闻交流中心正式成立，中阿电子图书馆门户网站项目正式启动，中阿共同在华举办的第四届“阿拉伯艺术节”正式启动。

女士们、先生们、朋友们！

中阿同为国际舞台上重要政治力量，中阿合作应该在世界发展进步的大潮中不断发展，在人类历史前进的步伐中不断前进。和平、改革、发展是中东各国的普遍需要，稳定、安宁、幸福是中东人民的共同追求。各方要准确把握历史大势，真诚回应人民呼声，一起推动中东地区走出一条全面振兴的新路。

中东的多样性应该成为地区活力之源。要尊重每个国家的国情差异和自主选择,坚持平等相待、求同存异。域外力量应该多做劝和促谈的事,为中东和平发展提供正能量。要摒弃独享安全、绝对安全的想法,不搞你输我赢、唯我独尊,打造共同、综合、合作、可持续的安全架构。

发展是解决中东许多治理问题的钥匙。发展的潜力要通过改革来释放,进步的动力要通过开放来提升。各方要始终心系合作,多做共赢的加法和乘法,把一股股发展努力汇聚起来,优势互补,共享繁荣。

阿拉伯民族是古老、坚韧、充满智慧的民族,以不惧挑战、勇追时代潮流的精神创造了辉煌的文明。只要阿拉伯国家团结起来,任何困难和风险都挡不住你们。

巴勒斯坦问题是中东和平的根源性问题。中国人民历来富有正义感和同情心。我们呼吁有关各方遵守国际共识、公正处理巴勒斯坦有关问题,不要给地区埋下更多冲突祸根。我们支持召开新的巴勒斯坦问题国际会议，支持探索创新中东促和机制，以“两国方案”和“阿拉伯和平倡议”为基础，推动巴以和谈尽快走出僵局。

我们要给予巴勒斯坦人民更多实际支持。我宣布，中国再向巴勒斯坦提供1亿元人民币无偿援助，用于支持巴勒斯坦发展经济、改善民生。中国还将向巴勒斯坦提供紧急人道主义援助，并向联合国近东巴勒斯坦难民救济和工程处追加捐款。

女士们、先生们、朋友们！

作为中阿双方开展平等对话、加强务实合作的重要平台，中阿合作论坛在推动双方加强对接方面大有可为。要适应新时代中阿关系发展，论坛建设要有新气象、新作为。要合理配置资源，盘活存量，用好增量，做强能源、新闻、北斗导航、企业家论坛等机制，积极推动建立妇女、青年、旅游等机制。论坛工作要贴近双方实际需要，通过加强交流，让双方思想形成更多交汇，这样集体行动才会更有力量。

阿拉伯谚语讲，“语言是叶子，行动才是果实”。中国古人讲，“锲而不舍，金石可镂”。让我们发扬丝路精神，一步一个脚印朝着目标前行，为实现中阿两大民族伟大复兴、推动建设中阿利益和命运共同体而不懈努力！

最后，我预祝这次会议取得圆满成功。

舒克拉！谢谢。

图书在版编目(CIP)数据

携手推进新时代中阿战略伙伴关系:在中阿合作论坛第八届部长级会议开幕式上的讲话/习近平 著. —北京:人民出版社,2018.7
ISBN 978-7-01-019590-2

Ⅰ.①携… Ⅱ.①习… Ⅲ.①习近平-讲话②中外关系-阿拉伯国家 Ⅳ.①D2-0②D822.319.18

中国版本图书馆 CIP 数据核字(2018)第161080号

(RMC-ZJDXI-065-20180710)

携手推进新时代中阿战略伙伴关系

XIESHOU TUIJIN XINSHIDAI ZHONG'A ZHANLÜE HUOBAN GUANXI

——在中阿合作论坛第八届部长级会议开幕式上的讲话

(2018年7月10日)

习 近 平

人民出版社 出版发行

(100706 北京市东城区隆福寺街99号)

北京新华印刷有限公司印刷 新华书店经销

2018年7月第1版 2018年7月北京第1次印刷

开本:880毫米×1230毫米 1/32 印张:0.5

字数:7千字

ISBN 978-7-01-019590-2 定价:2.00元

邮购地址 100706 北京市东城区隆福寺街99号

人民东方图书销售中心 电话 (010)65250042 65289539